Edición original: **OQO editora**

| © del texto | Roberto Mezquita 2011 |
| © de las ilustraciones | Bernardo Carvalho 2011 |
| © de esta edición | OQO editora 2011 |

| Alemaña 72 | 36162 Pontevedra |
| Galicia | ESPAÑA |
| T +34 986 109 270 | F +34 986 109 356 |
| OQO@OQO.es | www.OQO.es |

| Diseño | Oqomania |
| Impresión | Tilgráfica |

| Primera edición | mayo 2011 |
| ISBN | 978-84-9871-322-0 |
| DL | PO 243-2011 |

Reservados todos los derechos

# EL GALLO TRACANUECES

texto de **ROBERTO MEZQUITA**, a partir del cuento tradicional

ilustraciones de **BERNARDO CARVALHO**

OQO editora

Un día, el gallo y la gallina
salieron de la granja
dispuestos a conocer mundo.

Corretearon por aquí y picotearon por allá
hasta que tropezaron con un nogal
grande y frondoso.

Como al gallo
le encantaban las nueces,
comió tantas y tan deprisa
que se le atascaron
en la garganta.

El gallo se puso rojo,
verde, amarillo…
**¡de todos los colores!**

Al verlo así,
la gallina salió corriendo
a pedir ayuda.

En cuanto llegó a la granja,
se lo contó a la granjera:

—El gallo se ahoga,
  se está ahogando el gallo.
  Comió tantas nueces
  que se ha atragantado.
  Por agua a la fuente tenemos que ir.
  ¡Deprisa, deprisa, que se va a morir!

La granjera dijo:

—Lo siento, pero el camino de la fuente
  está lleno de zarzas y de piedras.
  No tengo zapatos y, si voy descalza,
  me haré daño en los pies.
  Si tuviera unos botines de lana…

La gallina, corre que te corre, se fue a casa del zapatero y le contó:

—El gallo se ahoga, se está ahogando el gallo.
  Comió tantas nueces que se ha atragantado.
  Por agua a la fuente tenemos que ir.
  ¡Deprisa, deprisa, que se va a morir!

  Necesito unos botines de lana.
  Así la granjera podrá ir a por agua
  para salvar al gallo.

El zapatero dijo:

—Con mucho gusto
te haría los botines,
pero no me queda lana.
Si vas al prado,
quizá la oveja
te la quiera dar.

La gallina, corre que te corre,
se fue al prado y le contó a la oveja:

—El gallo se ahoga, se está ahogando el gallo.
Comió tantas nueces que se ha atragantado.
Por agua a la fuente tenemos que ir.
¡Deprisa, deprisa, que se va a morir!

Si me das tu lana,
se la llevaré al zapatero,
que hará unos botines.
Así la granjera podrá ir a por agua
para salvar al gallo.

La oveja dijo:

—Con mucho gusto
te daría mi lana,
pero no tenemos tijeras
para cortarla.
Vete a casa del herrero
y pídele que te haga unas.

La gallina, corre que te corre, fue a casa del herrero y le contó:

—El gallo se ahoga, se está ahogando el gallo.

Comió tantas nueces que se ha atragantado.

Por agua a la fuente tenemos que ir.

¡Deprisa, deprisa, que se va a morir!

Necesito tijeras para cortar la lana de la oveja.

Con la lana, el zapatero hará unos botines.

Así la granjera podrá ir a por agua para salvar al gallo.

El herrero dijo:

—Con mucho gusto te haría unas tijeras,

pero no tengo leña para encender el fuego;

y, sin fuego, no podemos forjarlas. ¡Vamos al bosque!

El herrero cogió su hacha
y se fue al bosque con la gallina.

Allí se encontraron
con un roble enorme
y la gallina le contó:

—El gallo se ahoga, se está ahogando el gallo.

Comió tantas nueces que se ha atragantado.

Por agua a la fuente tenemos que ir.

¡Deprisa, deprisa, que se va a morir!

Necesitamos leña para que el herrero encienda el fuego

y pueda hacer unas tijeras.

Con las tijeras cortaremos la lana de la oveja

para que el zapatero haga unos botines.

Así la granjera podrá ir a por agua para salvar al gallo.

El roble dijo:

—**Os daré toda la leña que necesitéis.**

El herrero sacó su hacha,
dispuesto a cortar unas ramas,
pero el roble, asustado, protestó:

—**Nada de cortar, que eso duele.**
  **El viento me ha tirado**
  **muchas ramas viejas.**
  **Recoged las que queráis.**

El herrero y la gallina cargaron en el carro
todas las ramas que quisieron
y volvieron a casa.

Con aquella leña,
el herrero encendió el fuego
y forjó unas tijeras de hierro.

Con las tijeras
le cortaron la lana a la oveja.

Con la lana,
el zapatero hizo un par de botines.

Con los botines,
la granjera fue a la fuente a por agua.

Con el agua,
la granjera y la gallina
llegaron al nogal,
donde el pobre gallo
estaba a punto de ahogarse.

El gallo bebió y bebió
hasta que se tragó
todas las nueces.

Y gracias al roble,
al herrero, a la oveja,
al zapatero, a la granjera,
y, sobre todo,
a su buena amiga, la gallina,
el gallo pudo respirar de nuevo
y, muy contento, volvió a cantar:

KI-K